C000000300

Pinci

www.peniarth.cymru

Testun: Bethan Clement, 2018
© Delweddau: Canolfan Peniarth, Prifysgol Cymru Y Drindod Dewi Sant, 2018

Golygyddion: Lowri Lloyd ac Eleri Jenkins

Dyluniwyd gan Rhiannon Sparks

© Lluniau: t.5 Helen Adler

Gyda diolch i Helen Adler a Pinci.

Cyhoeddwyd yn 2018 gan Ganolfan Peniarth

Mae Prifysgol Cymru Y Drindod Dewi Sant yn datgan ei hawl moesol dan Ddeddf Hawlfraint, Dyluniadau a Phatentau 1988 i gael ei hadnabod fel awdur a dylunydd y gwaith yn ôl eu trefn.

Mawrth 24

Rydw i'n gyffrous iawn heno achos yfory rwy'n mynd i weld Mam-gu a Taid yn codi Pinci, y crwban. Mae Pinci wedi bod yn gaeafgysgu. Mae hi wedi bod yn cysgu ers mis Hydref diwethaf.

Mawrth 25

Aethon ni i'r sied i nôl bocs Pinci. Roedden ni'n gallu clywed Pinci yn symud yn y gwellt a'r papur. Agorodd Taid y bocs yn ofalus. Tynnodd Mam-gu Pinci allan.

Y peth cynta roedd rhaid i ni wneud oedd rhoi
bath i Pinci. Yfodd Pinci beth o'r dŵr a golchodd
Taid ei llygaid hi'n ofalus.

Ebrill 29

Roedd Nima wedi dod i chwarae heddiw ond roedd y tywydd yn ofnadwy. Roedd Nima eisiau gweld Pinci ond achos bod y tywydd yn oer, roedd Pinci yn eistedd o dan lamp arbennig.

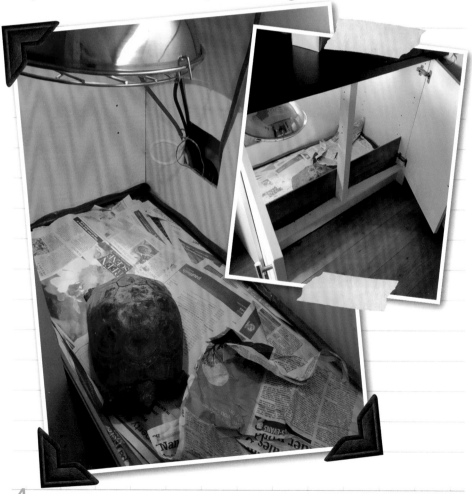

Roedd Nima eisiau gwybod oed Pinci. Dywedodd Mam-gu ei bod hi wedi cael Pinci ar ei phen-blwydd yn bump oed, pan oedd Pinci yn ugain oed. Mae Pinci yn naw deg oed. Faint yw oed Mam-gu, felly?

Dyma Mam-gu yn bump oed

Mehefin 2

Gwyliau hanner tymor heddiw. Roedd Mam a Dad yn gweithio, felly es i at Mam-gu am y diwrnod. Roedd hi'n braf ac roedd Pinci wrth ei bodd yn bwyta'r dant y llew yn y lawnt.

Roeddwn i wedi mynd â chiwcymbr a letys i Pinci.
Daliais i'r ciwcymbr i Pinci, ond cnoiodd hi fi!

Does dim dannedd ganddi, dim ond rhyw fath o big, ond roedd gwaed ar fy mys i!

Gorffennaf 23

Heddiw yw diwrnod cyntaf gwyliau'r haf. Hwrê!
Aeth Dad, Ianto a fi i weld Taid. Pan welodd Ianto
Pinci, roedd e'n gyffrous iawn a rhedodd e ati.
Roedd e eisiau chwarae.

Doedd Pinci ddim yn hoffi Ianto yn ei gwthio hi. Roedd ofn arni hi, felly tynnodd hi ei phen a'i choesau i mewn i'r gragen galed. Dyna beth mae crwbanod yn ei wneud os oes perygl.

Crafangau siarp Pinci!

Awst 10

Heddiw, aeth Mam-gu a Taid ar eu gwyliau am wythnos. Mae Pinci ar wyliau hefyd. Mae hi wedi dod i aros aton ni. Rydw i wrth fy modd yn gofalu am Pinci.

Mae Dad wedi bod yn brysur yn yr ardd. Roedd rhaid iddo fe wneud yn siwr bod y lawnt yn ddiogel i Pinci. Rhaid cadw Pinci a Ianto ar wahân.

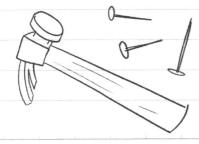

Awst 14

Buon ni'n mesur ac yn pwyso Pinci heddiw.
Mae hi'n mesur 25 centimetr ac yn pwyso
2.9 cilogram.

Yna, aethon ni ar y we i ddarllen am grwbanod eraill. Mae rhai crwbanod yn fach iawn ac mae rhai eraill yn anferth. Rydw i wrth fy modd yn dysgu am grwbanod. Tybed ble mae'r crwban mwyaf yn y byd yn byw?

Medi 30

Es i at Mam-gu a Taid heddiw ond roedd Pinci yn llonydd iawn. Dydy Pinci ddim yn symud llawer pan mae'r tywydd yn ddiflas, nac yn y nos. Doedd hi ddim yn bwyta chwaith achos roedd hi'n rhy oer.

Bydd Pinci yn mynd i gysgu cyn bo hir. Dydy crwbanod ddim yn bwyta am dair wythnos cyn mynd i gysgu.

Dim bwyd am dair wythnos! Byddwn i'n llwgu.

Hydref 16

Heddiw, aethon ni i helpu Mam-gu a Taid roi Pinci yn ei bocs dros y gaeaf. Roedd rhaid i ni roi gwellt a phapur ar waelod y bocs i'w chadw'n gynnes. Yna, rhoion ni Pinci yn y canol a mwy o bapur a gwellt ar ei phen.

Caeodd Taid y bocs a'i roi yn y sied. Dydy Pinci ddim yn hoffi bod yn rhy gynnes neu fydd hi ddim yn gallu cysgu.

Ond, os bydd y tywydd yn oer iawn, bydd Taid yn rhoi blanced drwchus dros y bocs achos os bydd hi'n rhewi, bydd Pinci'n trigo.

Rydw i'n drist heddiw achos fydda i ddim yn gweld Pinci eto nes mis Mawrth nesa.

Hwyl fawr, Pinci.